WASHINGTON SCHOOL

¡Celebremos la literatura!

Cover illustration by Ivar Da Coll.

Ivar Da Coll has always liked things that make people laugh. That is why he draws humorous things like the ones you see on the cover of this book. He presently devotes himself entirely to writing and illustrating children's books. His books enjoy international acclaim, and in Colombia, where he lives, he is as well known as the characters he creates.

Acknowledgments appear on page 220.

Printed in the U.S.A.

ISBN: 0-395-61634-4

23456789-VH-96 95 94 93

Un pequeño ruido

Autores/Authors
Rosalinda B. Barrera
Alan N. Crawford
Joan Sabrina Mims
Aurelia Dávila de Silva

Autores de consulta/
Consulting Authors
John J. Pikulski
J. David Cooper

Asesores literarios/
Literature Consultants
Ray Gonzalez
Cynthia Ventura

Asesor lingüístico/
Linguistic Consultant
Tino Villanueva

HOUGHTON MIFFLIN COMPANY   BOSTON
Atlanta   Dallas   Geneva, Illinois   Palo Alto   Princeton   Toronto

La
hora
de
los
amigos

Hay muchos amigos en
estos cuentos. ¿Y sabes qué?
Te quieren conocer.
¡Apúrate! ¡Están esperando
a que abras este libro!

Contenido

Mi equipo de béisbol

escrito por Julio Ricardo Baerga
ilustrado por Renée Williams

Hola, ¿qué tal? Me llamo Pipo.
Te quiero presentar a mi gran equipo.

Primero saluda a Diana.
Juega bien, pero, ¡es mi hermana!

Aquí está mi amigo Ramón,
el mejor jugador en todo Bayamón.

Ahora te presento a Juanita,
que siempre llega en guagüita.

Aquí viene el chistoso Andrés,
¡que siempre le encanta jugar al revés!

Oye, ¿has visto a Carlota?
Ella siempre trae la pelota.

Mira a Luis, pero, ¿qué hace?
¡Está bailando encima de la base!

La próxima jugadora es Rocío.
Ella es la que nos saca de líos.

Y por fin, viene mi amigo Tito.
Nunca se olvida de su guante chiquito.

Una vez, cuando venía un aguacero,
estábamos perdiendo, dos a cero.

No queríamos que nos lloviera
ni que el partido se perdiera.

En la última entrada, Andrés llegó a base.
Y Diana pegó un doble de primera clase.

Con dos en base, vino al bate Ramón.
—Oye, amigo —le dije—, a pegar un jonrón.

¿Y sabes lo que hizo nuestro amigo Ramón?
¡Pegó la pelota fuera de Bayamón!

La verdad, no importa si ganamos o perdimos.
Al final lo que importa es que nos divertimos.

Adiós, hasta luego, te dice tu Pipo,
porque ya conociste a mi gran equipo.

Un gran equipo de amigos

Los amigos de Pipo forman un gran equipo porque se divierten. ¿Qué cosas divertidas haces tú con tus amigos, o con un amigo o una amiga? Haz un dibujo de lo que hacen juntos. También, escribe unas oraciones divertidas sobre tu dibujo.

Conoce al autor

Julio Ricardo Baerga nació en
Puerto Rico. A él le encanta
jugar béisbol y escribir
cuentos para niños en su
tiempo libre. Durante un
tiempo, escribió para la página de
deportes de un periódico importante de Boston,
Massachusetts.

Conoce a la artista

A Renée Williams le encanta
dibujar caricaturas chistosas de
niños y de animales y también
jugar voleibol y sófbol. Pero
su pasatiempo favorito es
dibujar caricaturas de sus amigos
para ver si ellos se ríen.

COMELONES

por Lara Ríos

Dulce de mora
para Eleonora.

Pudín de pan
para Julián.

Queso y jamón
para Ramón.

Jalea de fresa
para Teresa.

Un buen café
para José.

Turrón de miel
para Miguel.

Dulce melón
para Gastón.

Y un tarro de maní,
¡sólo para ti!

QUIERO, QUIERO UN AMIGUITO

por Graciela M. Peña

Quiero, quiero un amiguito
con quien pueda yo jugar.
Jugaremos muchos juegos
y podremos platicar.

Jugaremos muchos juegos
que nos den mucho placer.
Y cuando ya terminemos
Mamá nos dará de comer.

VOY A HACER UN PUENTE

por Graciela M. Peña

Voy a hacer un puente
puente de amistad,
voy a hacer un puente
puente de amistad.

Con mis amiguitos,
con Mamá y Papá,
con Ana y Vicente,
con toda la gente.

Voy a hacer un puente
puente de amistad,
voy a hacer un puente
puente de amistad.

CÓMO EL PERRO Y EL HOMBRE SE HICIERON AMIGOS

cuento siberiano

contado por Cecilia Beuchat
y Mabel Condemarín
ilustrado por Claudia de Teresa

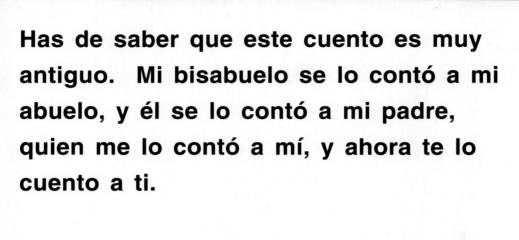

Has de saber que este cuento es muy antiguo. Mi bisabuelo se lo contó a mi abuelo, y él se lo contó a mi padre, quien me lo contó a mí, y ahora te lo cuento a ti.

Hace muchos, muchos años, el perro aún no era el fiel amigo del hombre y vivía solo en el bosque.

Un día decidió salir a buscar a un compañero, pues se sentía muy solo.

Primero se encontró con un conejo y le preguntó: —¿Quieres irte a vivir conmigo?

El conejo aceptó, porque él también se sentía solo.

Los dos animalitos vivieron un tiempo juntos. De día buscaban su alimento en el bosque y en las noches dormían entre los matorrales.

Una noche, el perro se puso a ladrar.

El conejo se asustó mucho y gritó:

—Por favor no ladres más, puede venir el lobo y nos comerá.

El perro pensó, "Este conejo tiene miedo", y lo abandonó.

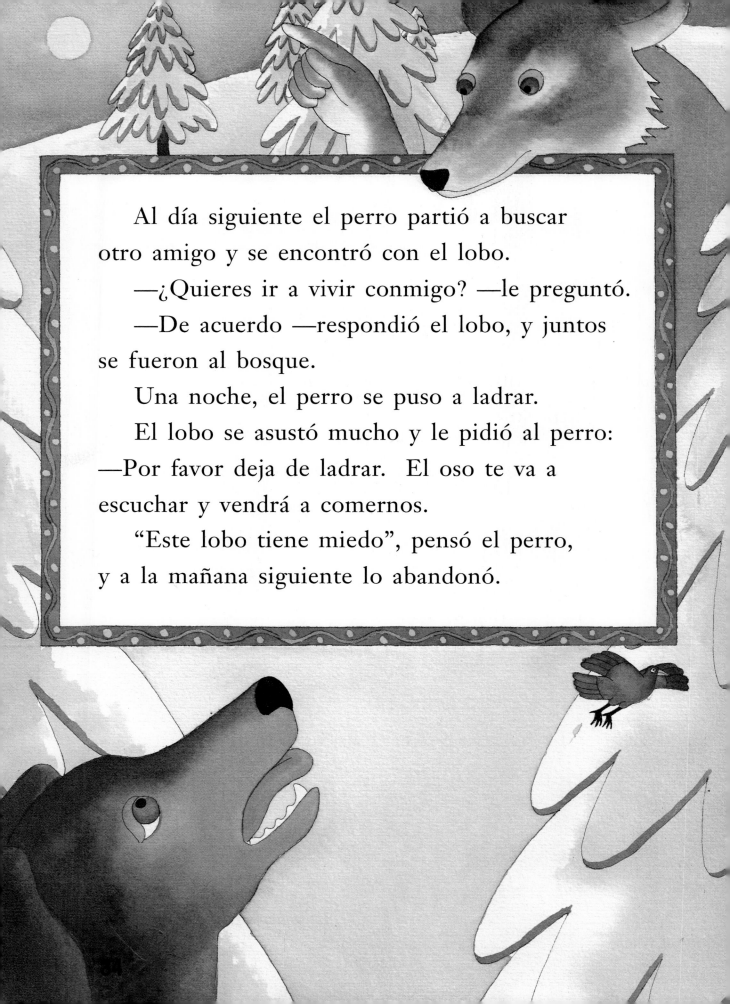

Al día siguiente el perro partió a buscar otro amigo y se encontró con el lobo.

—¿Quieres ir a vivir conmigo? —le preguntó.

—De acuerdo —respondió el lobo, y juntos se fueron al bosque.

Una noche, el perro se puso a ladrar.

El lobo se asustó mucho y le pidió al perro: —Por favor deja de ladrar. El oso te va a escuchar y vendrá a comernos.

"Este lobo tiene miedo", pensó el perro, y a la mañana siguiente lo abandonó.

El perro buscó al oso y le preguntó:

—¿Quieres ir a vivir conmigo?

—Acepto —dijo el oso, y se fueron al bosque.

Una noche el perro ladró y el oso se asustó mucho: —No ladres por favor. Puede venir el hombre y nos va a cazar —le dijo muy enojado.

"Este oso tiene miedo", pensó el perro, y lo abandonó.

El perro se encontró con el hombre al día siguiente y le dijo: —Hombre, ven, ¡vamos a vivir juntos!

—Está bien —respondió el hombre.

Y juntos se fueron al bosque.

Una noche el perro ladró fuertemente y el hombre, despertando, le dijo: —Ladra, ladra todo lo que quieras. Si lo haces, el lobo y el oso se asustarán y no se atreverán a acercarse a la casa.

"El hombre no tiene miedo", pensó el perro, satisfecho.

Y así, desde entonces, el perro y el hombre son muy buenos amigos y ambos confían el uno en el otro.

El teatro de los amigos

Con un grupo de compañeros, actúa el cuento. Cada persona en el grupo puede representar uno de los cinco personajes: el perro, el conejo, el lobo, el oso y el hombre.

Para comenzar, hagan máscaras de papel o de algún otro material. Luego, pónganse sus máscaras y, ¡que empiece la función!

41

Conoce a las autoras

Cecilia Beuchat escribió sus primeros poemas a los nueve años. Hoy escribe sobre cosas de todos los días.

A Mabel Condemarín, ¡le gustaba leerles libros y darles clases a sus muñecas! Ahora, ella es maestra.

Conoce a la artista

Claudia de Teresa es de México. Dibuja desde que era niña y ha ilustrado muchos cuentos e historias de la gente del campo en México.

Mi amiga la sombra

por Alma Flor Ada
(en agradecimiento
a Robert Louis Stevenson)

Si corro, ella corre;
salta si yo salto.
Si me quedo quieta,
no se mueve un tanto.

Cuando yo le hablo
nunca me contesta,
aunque en todo juego
me sigue muy presta.

Pero si madrugo
antes que el sol salga,
por más que la busco
no logro encontrarla.

Mi amiga la sombra,
la muy haragana,
¡se queda en la cama
toda acurrucada!

43

CARMENCITA
Y
SU COQUÍ

escrito por Ramón Cruz González
ilustrado por Melodye Rosales

En una vieja casona muy bonita y rodeada de
un amplio jardín vivía Carmencita. Ésta era
una preciosa niñita, quien estaba muy enferma.
Por ello no salía a jugar ni tenía amiguitos.
Pasaba gran parte del día sentada junto a la
ventana de su dormitorio. Carmencita se sentía
muy sola y triste.

Un día, sintiéndose Carmencita más triste que de costumbre, fue a sentarse cerca de la ventana. De pronto oyó un pequeño ruido y una vocecita que le dijo: —Niña, ¿por qué estás tan triste y pensativa?

Carmencita, muy sorprendida, miró a su alrededor y de pronto vio un lindo coquí encaramado sobre una maceta de flores.

—Estoy muy enferma, no puedo salir a jugar y me siento sola. Me gustaría tener un amiguito —dijo Carmencita.

—Si ése es tu problema ya no te sentirás tan triste porque yo quiero ser tu amigo. Vendré todos los días a hacerte compañía. ¿Te gustaría que yo sea tu amigo?

—¡Oh! Con mucho gusto seré tu amiga —dijo la niña—. Ya no me sentiré tan sola.

Desde ese día comenzó la amistad entre Carmencita y el coquí, a quien ella bautizó con el nombre de Pitín... Para sellar la amistad recién iniciada, Pitín le cantó a su amiguita su linda canción: coquí, co-quí, co-quí. Carmencita se sintió muy emocionada y por primera vez en mucho tiempo rió gozosa.

Pitín vivía en una bella planta del bonito jardín. Allí cerca vivían otros coquíes, sus familiares y amigos. Con ellos felizmente compartía su vida y sus juegos. Todos los días visitaba a su amiguita y muy alegremente le cantaba: coquí, co-quí, co-quí. Sus amigos coreaban la canción: coquí, co-quí, co-quí, y Carmencita reía, reía.

Un día fue de visita a casa de Carmencita la Sra. Pérez. La mamá de la niña la llevó al jardín para que viese las lindas plantas de bromelia.

—¡Qué planta tan preciosa! —exclamó la Sra. Pérez.

—¿Te gusta? Pues te la regalo —contestó la mamá de Carmencita.

La Sra. Pérez se sintió muy contenta y se llevó la planta.

¡Pobre Pitín! No tuvo tiempo de salir de su escondite en la planta y junto con ésta fue a parar a casa de la Sra. Pérez. Allí todo era extraño para él. No le gustaba vivir allí, se sentía muy triste. No saltaba feliz ni entonaba su alegre canción: coquí, co-quí, co-quí. No tenía con quién hablar ni jugar. Pensaba en su pobre Carmencita y lloraba al recordar que ella no tenía quién le alegrara con sus canciones.

Una tarde Pitín lloraba inconsolablemente.
Había perdido la esperanza de volver a ver a su
amiguita. De pronto oyó una conversación
entre la Sra. Pérez y su sobrina María.

—María —le dijo—, quiero que me prepares
una bonita canasta de flores. Quiero llevárselas
esta tarde a Carmencita. Me dicen que desde
mi última visita a la casa su estado de salud ha
empeorado. Tal vez esas flores la alegren.

Mientras se secaba las lágrimas con unos
pétalos de rosa, Pitín no perdía palabra de la
conversación entre tía y sobrina. Pensó,
"Carmencita ha empeorado porque cree que yo
la abandoné. Ésta es mi oportunidad para
regresar a casa y ver de nuevo a mi buena
amiguita. Ella se alegrará al verme".

María preparó la canasta de flores y fue a avisar a su tía. Pitín aprovechó la oportunidad y se escondió dentro de un precioso lirio.

Más tarde la Sra. Pérez fue a ver a Carmencita y le llevó las flores. La niña se las agradeció y sonrió tristemente. No pensaba que junto a aquellas lindas flores estaba su amiguito Pitín, su querido coquí.

Cuando la Sra. Pérez salió de la habitación, Carmencita quiso colocar las flores en otro lugar. Cuán grande fue su sorpresa al oír: coquí, co-quí, co-quí. La alegría de encontrarse otra vez fue inmensa. Llamaron a los otros coquíes amiguitos de Pitín y todos bailaron, cantaron y saltaron para celebrar su regreso. Colorín, colorado este cuento se ha acabado y Carmencita se ha curado.

Mensajes de amistad

~

Cuando Carmencita estaba
enferma, el coquí le trajo alegría
y amistad. Para llevarle alegría
a Carmencita, escríbele una
tarjeta y decórala con tu animal
favorito.

Conoce al autor

Ramón Cruz González creció en un pueblo del centro de Puerto Rico. Actualmente es maestro bilingüe en una escuela de la ciudad de Chicago. A él le encantan los niños y los animales. También le gusta viajar, y ha visitado muchos lugares de Europa y muchos estados en los Estados Unidos.

Conoce a la artista

Melodye Rosales vive en Champaign, Illinois con su esposo y sus dos hijos. Ella ha ilustrado varios libros para niños. Dice que le fascina dibujar a los niños. También dice que siempre ha sido una soñadora.

Yo tengo un amiguito

por *Mary Núñez*

Yo tengo un amiguito
que se llama Miguelito.
Cuando viene de la escuela
trae su gorra y su mochila.

Brinca en el campo,
mi amigo Miguelito.
Y cuando no estoy con él,
entonces juega él solito.

Cultivo una rosa blanca

por José Martí

Cultivo una rosa blanca
en junio como en enero
para el amigo sincero
que me da su mano franca.

Más amigos

Elisa y Palín
por Francisca Altamirano

¿Qué pasará cuando Elisa deje en libertad a Palín, su pajarito y amigo especial?

El parque de Pedrín
por Luis Raúl Mondríguez

Un día, a Pedrín se le ocurre hacer algo realmente diferente con la ayuda de sus amigos.

Corduroy
por Don Freeman

Corduroy es un osito que quiere tanto tener una amiga, que se lanza en una curiosa aventura.

Danielito y el dinosaurio
por Syd Hoff

Todo el mundo la está pasando de lo lindo cuando un dinosaurio decide acompañar a Danielito y sus amigos.

para conocer

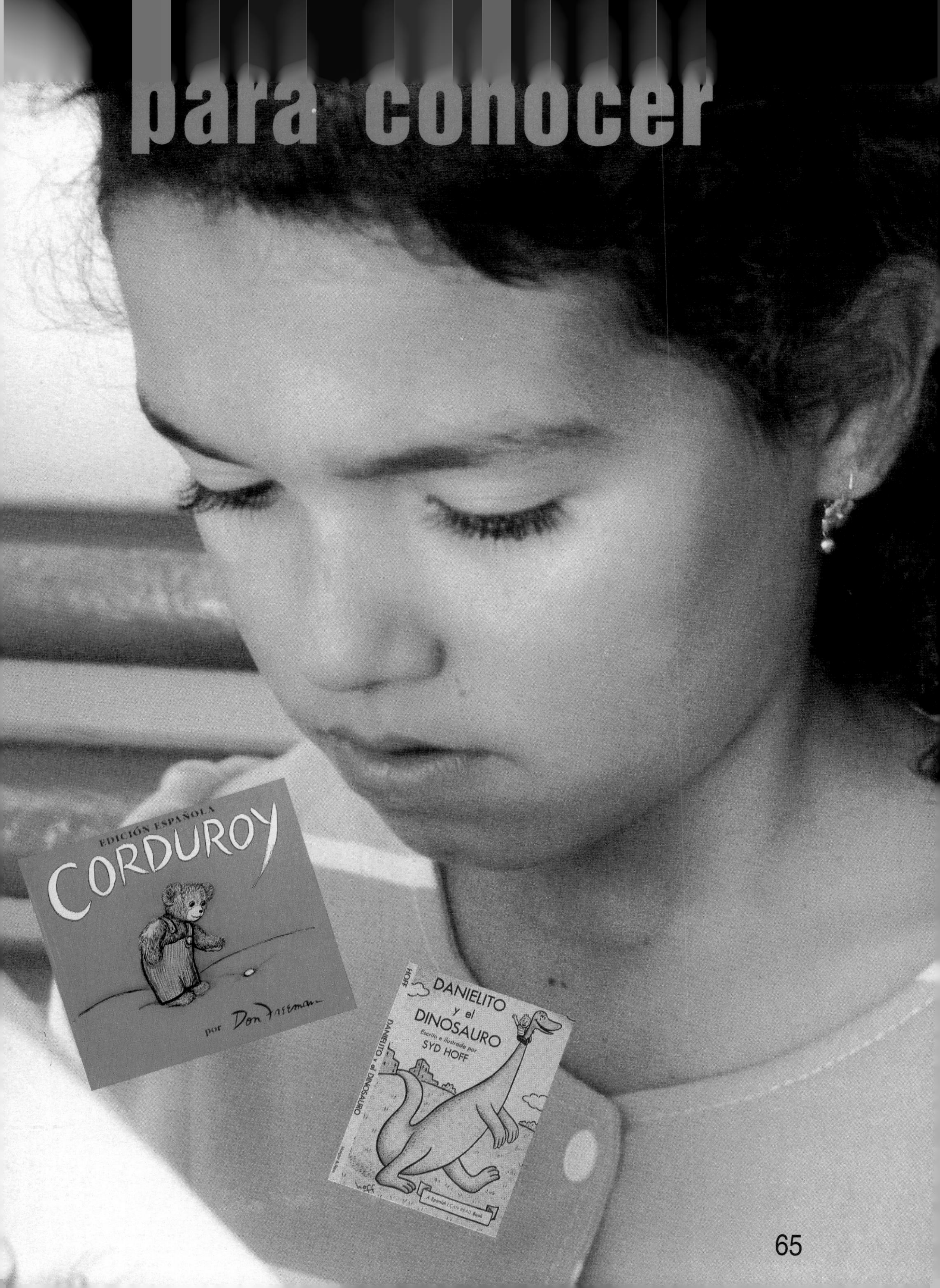
EDICIÓN ESPAÑOLA
CORDUROY
por Don Freeman
DANIELITO y el DINOSAURO
Escrito e ilustrado por SYD HOFF
A Spanish I CAN READ Book

CONTENIDO

¡¡¡Cuidado!!! Aquí hay unos cuentos que te pueden asustar. Prepárate para sentir escalofríííííos... y quizás también unas cuantas carcaja-ja-ja-das. ¡Nunca se sabe qué se esconde en estas páginas!

HABÍA UNA VEZ UNA CASA

escrito por
Graciela Montes

ilustrado por
Óscar Rojas

HABÍA UNA VEZ UNA

ERA UNA CASA LINDA Y MUY

GRANDE, MUY PERO

MUY GRANDE.

ENORME

ERA LA CASA.

TAN PERO TAN GRANDE QUE

EN ELLA VIVÍAN TRES

, DOS , UN , CINCO , UN , DIEZ Y UN DE GALLINA.

Y ADEMÁS UN

QUE, COMO ERA TAN GRANDE,

VIVÍA EN EL JARDÍN.

LOS DÍAS EN QUE BRILLABA EL

EL GIGANTE ERA UN GIGANTE

BUENO.

SE PONÍA UN  ROJO Y

SALÍA A REGAR LAS

Y DESPUÉS TODOS COMÍAN

 Y SE IBAN A

JUGAR AL

PERO LOS DÍAS EN QUE EL CIELO ESTABA LLENO DE 　　 Y SE PONÍA A 　　, EL GIGANTE SE PONÍA MALO, MUY MALO, *MALÍSIMO* Y GRUÑÍA **GRGRGRGRGRGR** Y LOS

Y LAS

Y EL

Y LOS
Y EL   Y LAS

SALÍAN CORRIENDO, MUERTOS DE

MIEDO

Y EL GIGANTE PISABA EL

ARRANCABA LAS

Y LOS PERSEGUÍA POR TODO EL JARDÍN.

Un día como otros días el  se nubló, el cielo se puso y empezaron a caer .

—¡Socorro! —gritaron los y salieron corriendo.

—¡Sálvese quien pueda! —gritaban todos mientras escapaban.

BUENO, TODOS NO. EL 🥚 DE GALLINA

NO SE QUISO IR.

EN UNA DE ÉSAS USTEDES PIENSAN

QUE ESO NO PUEDE SER PORQUE

NO HAY HUEVOS CAPRICHOSOS.

¡PERO SÍ! PORQUE ESTE 🥚 YA

NO ERA SOLAMENTE UN 🥚. AHORA

ERA MUCHO MÁS QUE UN 🥚.

ERA UN

Y UN POLLITO MUY VALIENTE PORQUE, EN CUANTO NACIÓ, SE SUBIÓ A UN ████ Y DIJO:

—NO HAY DERECHO A QUE EL GIGANTE NOS CORRA Y NOS GRUÑA CADA VEZ QUE

—¡BRAVO! EL ████ TIENE RAZÓN

—DIJERON LOS

—PERO... ¡PERO EL GIGANTE ES

MUY GRANDE!

Y SE FUERON Y DEJARON AL

MUY SOLO, MUY SOLITO.

¡TUM! ¡TUM! RESONABAN LOS
DEL GIGANTE POR EL JARDÍN.

Y SE OÍAN LOS GRUÑIDOS

GRGRGRGRGRGR.

EL POLLITO, DE PIE EN EL BANQUITO,

ESPERABA CON LOS  CERRADOS,

(PORQUE ERA UN POLLITO VALIENTE,

PERO IGUAL TENÍA MIEDO).

–¿QUÉ HACES ACÁ,  ?

–RUGIÓ EL

—¿No sabes que llueve y yo estoy malo?

–Es cierto, está lloviendo –dijo

el pollito –. Si quieres te

presto mi

Y al gigante le dio tanta

que se le pasó la rabia.

Y, CUANDO SE LE PASÓ LA RABIA,

PUDO PONERSE A PENSAR.

Y PENSÓ QUE UN ☂ ERA

UN GRAN INVENTO PARA LOS DÍAS

DE LLUVIA.

AHORA, CUANDO EL ☀ SE NUBLA,

Y EL CIELO SE PONE ☁ Y

EMPIEZAN A CAER LAS PRIMERAS 🌧

EL GIGANTE ABRE SU GRAN

Y LOS INVITA A TODOS A JUGAR AL

TRUCO, PERO SIEMPRE GANA EL .

¡Epa, gigante!

Tú también puedes ser valiente como el pollito. Piensa en algo que tú le puedas ofrecer al gigante para defenderse de la lluvia. Escribe tu respuesta. Puedes hacer dibujos que tomen el lugar de algunas palabras como en el cuento que acabas de leer. Luego comparte tu cuentito con un compañero o una compañera.

Conoce a la autora

Graciela Montes nació en Buenos
Aires, Argentina. Desde chica, a
Graciela le encantaban los cuentos
y también inventaba historias.
Ha escrito muchísimos cuentos.
A ella le gusta pasear, leer
novelas, ver crecer a sus hijos
y escribir cuentos.

Conoce al artista

Óscar Rojas nació en Catamarca,
Argentina, donde hay muchas
montañas y poca gente. Cuando
era aún pequeño, se inscribió
en un curso de dibujo por
correspondencia. Y ha seguido
dibujando desde entonces. Hoy
en día, vive en Buenos Aires,
Argentina.

BULTOS MISTERIOSOS

por Arnold Lobel

—Es hora de dormir

—dijo Búho bostezando.

Se metió en la cama

y apagó la vela.

Debajo de la manta,

al pie de la cama,

Búho vio dos bultos.

—¿Qué serán

esos bultos misteriosos?

—se preguntó.

Búho levantó la manta

para ver.

Todo estaba oscuro.

Búho trató de dormir,

pero no pudo.

—¿Qué pasa si esos

dos bultos misteriosos

comienzan a crecer y crecer

mientras estoy dormido?

—se preguntó Búho—. Eso

no sería nada agradable.

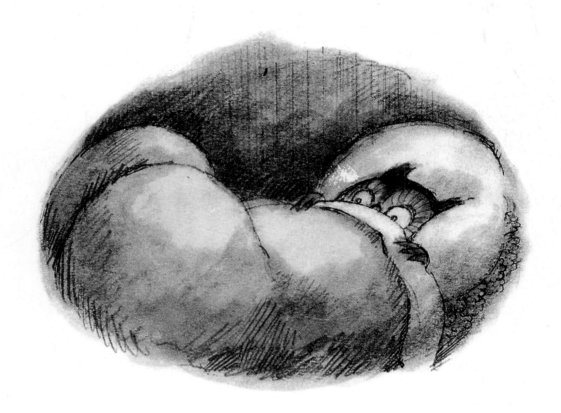

Búho movió la pata derecha

de arriba para abajo.

El bulto de la derecha también

se movió de arriba para abajo.

—¡Uno de esos bultos

se está moviendo! —dijo Búho.

Búho movió la pata izquierda

de arriba para abajo.

El bulto de la izquierda

también se movió

de arriba para abajo.

—¡El otro bulto también

se está moviendo! —gritó Búho.

Búho tiró la manta

de la cama.

Los bultos desaparecieron.

Lo único que Búho pudo ver

al pie de la cama fueron

sus dos patas.

—Pero ahora tengo frío

—dijo Búho—. Me voy

a cubrir otra vez con la manta.

Pero tan pronto como lo hizo

vio los dos bultos otra vez.

—¡Ahí están los bultos otra vez!

—gritó Búho—. ¡Uno aquí

y otro allá! ¡Esta noche

no podré dormir!

Búho comenzó a dar

saltos en la cama.

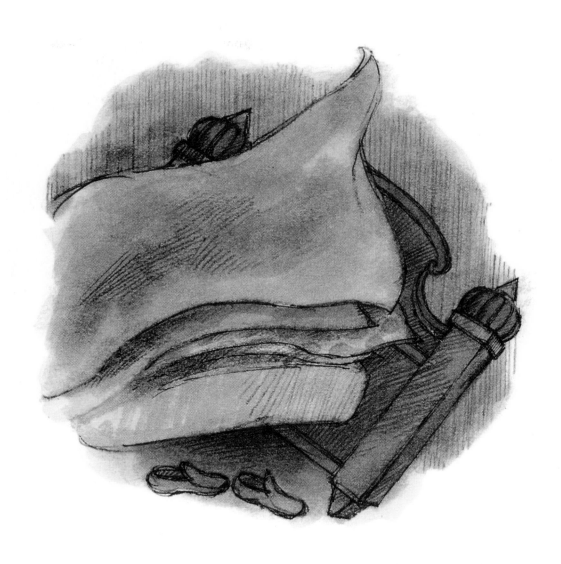

—¿Quiénes son ustedes y dónde

se esconden ahora? —gritó.

Y de pronto, ¡CATAPLUM!,

la cama se rompió.

Asustado,

Búho bajó

corriendo

las escaleras.

Se sentó en su silla

cerca de la chimenea.

—Mejor dejo que esos bultos

misteriosos duerman solos

en mi cama —dijo Búho—.

¡Que crezcan todo

lo que quieran! Yo me

quedo a dormir aquí mismo,

calientito y seguro.

Y así lo hizo.

¡HOLA!

Suponte que Búho llama por teléfono a un amigo o una amiga para hablarle sobre los bultos misteriosos. Actúa esa conversación telefónica con alguien de la clase. Tú puedes hacer el papel de Búho y la otra persona puede hacer el papel del amigo o de la amiga de Búho. Luego cambien de papel.

Conoce al autor

A Arnold Lobel le gustaba tanto dibujar que hizo los dibujos de más de cien libros para niños. También le gustaba escribir cuentos cómicos sobre animales. Rana, Sapo y Búho son algunos de los personajes de los cuentos de Arnold Lobel. Él dijo una vez que sacaba las ideas para sus cuentos de su propia vida. Y a veces se sentía como Rana, otras veces como Sapo y de vez en cuando como Búho.

EL MONSTRUO BLANCO

Una mañana cuando me levanté
había niebla.
Parecía un monstruo tragalotodo.
Se tragaba edificios y casas,
árboles, carros y calles.
Cuando salí a caminar por la calle
el monstruo blanco me tragó a mí también.

por Teresa Trubilla

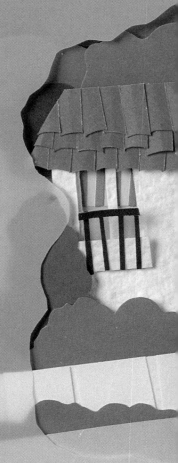

CLETO
MONSTRUO

escrito por Robert L. Crowe

ilustrado por Roger Paré

Cleto Monstruo no era muy grande, pero
sí era feo.

Y todos los días se ponía más feo.

Cleto vivía en el bosque con su mamá
y su papá.

Papá Monstruo era un monstruo grande.

Era muy feo y eso estaba muy bien.

Mamá Monstruo era más fea y eso era mejor.

Los monstruos se ríen de los monstruos bonitos.

Cleto, su mamá y su papá eran unos monstruos muy lindos —ya que los monstruos cuando más feos, más lindos son.

Todos los días Cleto jugaba en el bosque.

Hacía lindas cosas que a los monstruos
les gusta hacer.

Le gustaba hacer lindos huecos bien grandes
y le gustaba caerse.

Por las noches Cleto dormía en una cueva.

Pero una noche él dijo: —No quiero entrar en mi cueva.

—¿Por qué? —le preguntó su mamá—. ¿Por qué no quieres entrar en tu cueva?

—Le tengo miedo a la oscuridad —dijo Cleto.

—¡Qué tontería! —dijo su papá—. ¿A qué
le tienes miedo?

—A la gente —dijo Cleto—. Si entro en
la cueva, la gente me puede agarrar.

—¡Qué tontería! —le dijo su papá—. Ven y mira. ¿Ves gente dentro de la cueva?

—No —dijo Cleto—, pero la gente se puede esconder debajo de algo. Se puede esconder debajo de una roca. Me puede agarrar cuando estoy dormido.

—¡Qué tontería! —le dijo su mamá—. Aquí dentro no hay gente. Y si entrara gente aquí, no te agarraría.

—¿No me van a agarrar? —preguntó Cleto.

—No —le dijo su mamá—. ¿Te esconderías tú en la oscuridad? ¿Te esconderías tú debajo de una cama para asustar a los niños?

—¡No, nunca! —dijo Cleto.

—Bueno, la gente no se va a esconder
en la oscuridad para asustarte —le dijo
su papá—. Los monstruos y la gente
se pusieron de acuerdo. Los monstruos
nunca asustan a la gente y la gente nunca
asusta a los monstruos.

—¿De verdad? —les preguntó Cleto.

—De verdad —le dijo su mamá—. ¿Sabes de gente que haya asustado a los monstruos?

—No —dijo Cleto.

—¿Sabes de monstruos que hayan asustado a la gente? —le preguntó su mamá.

—No —dijo Cleto.

—¡Ya ves! —le dijo su mamá—. Y ahora, ¡a dormir!

—Y —le dijo su papá— no quiero que digas más que le tienes miedo a la gente.

—De acuerdo —dijo Cleto y entró en la cueva—. Pero, ¿me pueden dejar la roca un poquito abierta?

¡ÚLTIMAS NOTICIAS!

Cleto tenía miedo de que la gente saliera a atraparlo durante la noche. Para ayudar a quitarle el miedo a Cleto, escribe un boletín para el periódico de monstruos. Tu boletín debe explicar cómo es la gente en realidad. No te olvides de acompañar tu boletín con un dibujo tuyo.

Conoce al autor

Robert L. Crowe ha trabajado con niños por muchos años. Ha sido maestro de inglés y director de una escuela en Illinois. Robert Crowe escribió el cuento de Cleto Monstruo para ayudar a sus propios hijos a vencer el miedo a la oscuridad.

Conoce al artista

Roger Paré ha ganado muchos premios por sus ilustraciones de libros para niños. Sus libros se han publicado en diferentes idiomas en diferentes países. Pronto sus ilustraciones aparecerán en tarjetas de felicitación.

Tres espantos

tradicional

Tres espantos, muy chiquitos,
sentados en postes muy derechitos,
comiendo jalea y tostaditos.

Mantequilla en sus deditos,
¡upa! hasta los coditos.
Tres espantos, muy chiquitos,
prefieren jalea en sus platitos.

124

Tengo miedo

por Ivar Da Coll

Es una noche muy oscura. Se oyen ruidos allá afuera y Eusebio no se puede dormir. Tiene miedo.

Chitina y su gato

por Montserrat del Amo

El gato de Chitina se escapa de la casa durante una noche muy oscura. ¿Qué cosas le esperan a Chitina al salir en busca de su gato?

¡Cuidado, un dinosaurio!

por Sally Cedar

Imagínate lo que pasaría si un buen día un dinosaurio llegara al parque cerca de tu casa.

El susto de los fantasmas

por Alma Flor Ada

Los fantasmas andan por la calle una Noche de Brujas. De repente empieza a llover muy fuerte. ¿Qué pasará?

ALIKI

CARMEN TAFOLLA

SABINE R. ULIBARRÍ

ESCRIBO PARA TI

¿Sabías que la gente que escribe está en todas partes?

Quizás alguien que vive en tu barrio escribe poesía, libros de cuentos o libros de información. Y quizás, como los autores de este libro, te diga...

¡Escribo para ti!

ERNESTO GALARZA

ALBERTO BARRERA

CONTENIDO

Mis

cinco

sentidos

por Aliki

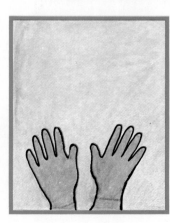

¡Puedo ver! Con mis ojos veo las cosas.

¡Puedo oír! Con mis oídos oigo los sonidos.

¡Puedo oler! Con mi nariz huelo los olores.

¡Puedo saborear! Con mi lengua saboreo
los sabores.

¡Puedo tocar! Con mis dedos toco las cosas.

Todo eso lo puedo hacer con mis sentidos.

Yo tengo cinco sentidos.

Cuando veo el sol o una rana

o cuando veo a mi hermanita,
uso el sentido de la vista.

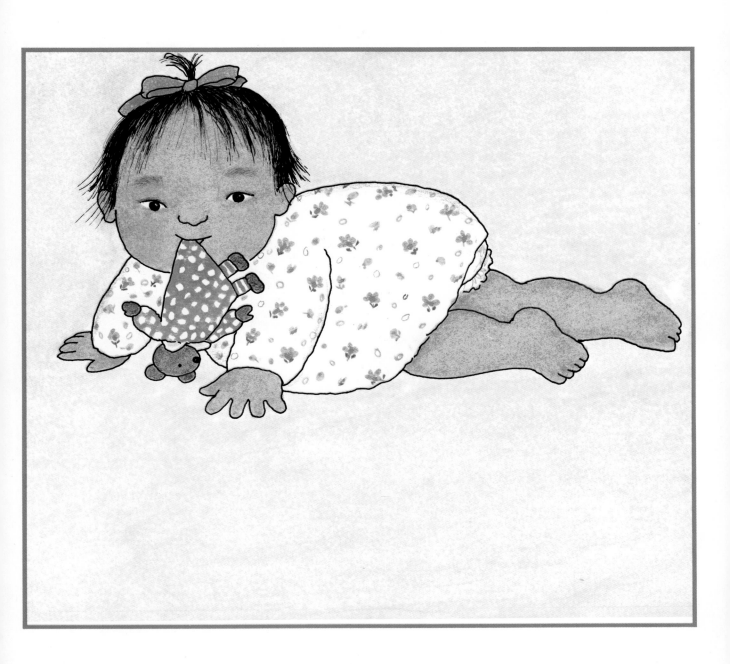

Cuando oigo un tambor, la sirena
de los bomberos o el canto de un pájaro,
uso el sentido del oído.

Cuando huelo el jabón, un pino o el aroma
de las galletitas acabadas de hornear,
uso el sentido del olfato.

Cuando tomo un vaso de leche
y como mi almuerzo, uso el sentido del gusto.

Cuando toco mi gatito, un globo o el agua,
uso el sentido del tacto.

A veces uso todos mis sentidos a la vez.

A veces uso sólo uno.

Muchas veces me divierto contando

los sentidos que estoy usando a la vez.

Cuando miro la luna y las estrellas,

uso un solo sentido: la vista.

Cuando río y juego con mi perrito,
uso cuatro de mis sentidos:
la vista, el oído, el olfato y el tacto.

Cuando juego con una pelota,
uso tres de mis sentidos:
la vista, el oído
y el tacto.

A veces uso un sentido más que otro.
Pero todos mis sentidos son muy importantes,
porque me permiten estar alerta.
Cuando estoy alerta,
veo todo lo que hay que ver...

oigo todo lo que
hay que oír...

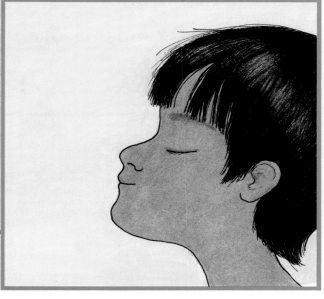

huelo todo lo que
hay que oler...

saboreo todo lo que
hay que saborear...

y toco todo lo que
hay que tocar.

145

Mis cinco sentidos
me hacen compañía.

Me mantienen alerta todo el día.

Descúbrelo

Aliki escribió esta selección para que tú aprendieras sobre tus sentidos.

En parejas, actúen algo que les guste hacer, como por ejemplo, hacer una torta. Luego, explíquenle a la clase los sentidos que se usan. Pueden decir...

Cuando batimos la mezcla, usamos el sentido del oído, el de la vista y el del tacto.

Cuando ya está lista, usamos el sentido del olfato.

Y para comerla, ¡usamos el sentido del gusto!

Conoce a Aliki

Aliki sólo usa su primer nombre en los libros que escribe e ilustra. Su apellido es Brandenberg. Su esposo, Franz Brandenberg, también escribe libros para niños y Aliki ha ilustrado muchos de ellos con sus dibujos.

Aliki trabajando en el jardín

Aliki cuando era niña

No todos los libros de Aliki tratan de personas reales o de sucesos verdaderos de la vida diaria. Algunos cuentan cosas sobre gente y animales imaginarios.

Canciones de Alberto Barrera

Alberto Barrera escribe para ti porque quiere mucho a los niños. Escribió estas canciones para su hija Mari cuando ella tenía tu edad. Algunas de sus canciones hablan de las experiencias que él y su familia han tenido. Otras cuentan cosas que ocurrieron en Río Grande City, Texas, el pueblo en el que creció y en el que todavía vive.

EL SAPITO

Un sapito en primavera
salió a buscar florecitas,
y al mirar a Mari afuera
le cortó las más bonitas.

Yo vi a un sapito en verano
que sudaba y se mojaba,
porque Mari no le daba
su abaniquito de mano.

Se iba un sapito en otoño
porque ya no había ni hojitas,
pero Mari con cariño
lo tomó en sus dos manitas.

Llegó un sapito en invierno
titiritando de frío.
Mari le ofreció sonriendo
té de anís con piloncillo.

151

EL DIENTE DE LA BUENA MARI

Parece que fue ayer,
que mi primer diente nació.
Por él pude comer,
todo lo que Mami me dio.

Por seis años comí,
porque él me ayudó a masticar,
todo lo que le di y
jamás se me supo rajar.

Con un cacho de pan
que mi abuelita me ofreció,
al irlo a masticar,
mi dientito se aflojó.

Mas no supe por qué
mi mami me le dio un jalón,
pero luego de un tirón,
yo solita me lo arranqué.

Y luego lo metí
en una cajita de cartón.
Junto con él dormí,
para dárselo a don Ratón.

Ya no lo volveré a ver,
al que me ayudó a masticar.
Tendré ahora que esperar,
a que otro me vuelva a crecer.

EL PATITO
TITO

escrito por Sabine R. Ulibarrí
ilustrado por Juan Carlos Nicholls

Un cierto verano, allá en el norte, nació un patito cerca de un lago azul. Por ser tan pequeñito, sus papás le dieron el nombre de "Tito".

Eran tres en la familia: Papá Pato, Mamá Pato y Tito Pato. Desde que Tito era niño, los tres salían de paseo todos los días.

Primero iba el papá. Luego iba la mamá. Tito era el último. Era tan pequeñito y sus piernas eran tan pequeñitas que no podía alcanzar a sus papás. Tito se ponía triste. Le salían lágrimas a los ojos.

—Cua, cua, Mamá —lloraba—. Cua, cua, Papá —lloraba.

—Cua, cua, Tito —decía la mamá.

—Cua, cua, Tito —decía el papá.

Y Papá Pato y Mamá Pato esperaban a su hijito. Tito corría y corría. Reía y reía.

Acariciaba a su mamá con el pico. Su mamá lo acariciaba con el pico. Tito estaba muy contento. Papá y Mamá Pato estaban muy contentos.

Allá arriba el cielo era azul. Adelante el lago era azul. Allá lejos las montañas eran azules. Cerca todo era verde. Abajo la arena era suave y blanda. ¡Qué hermoso era el mundo! ¡Qué linda era la vida!

Tito nunca olvidará la primera vez que entró en el agua. Primero entró Papá. Luego entró Mamá. Tito fue el último. La sensación que sintió cuando metió las patitas en el agua fue maravillosa. Sintió un gozo, una alegría fabulosa.

Tito reía y reía. Gritaba. Cantaba.
Se echó a nadar. ¡Milagro! ¡Supo nadar
la primera vez!

Nadaba para adelante. Nadaba para atrás.
Nadaba en círculos. Metía la cabeza bajo el
agua para verse las patitas. Papá y Mamá
sonreían con gusto y orgullo.

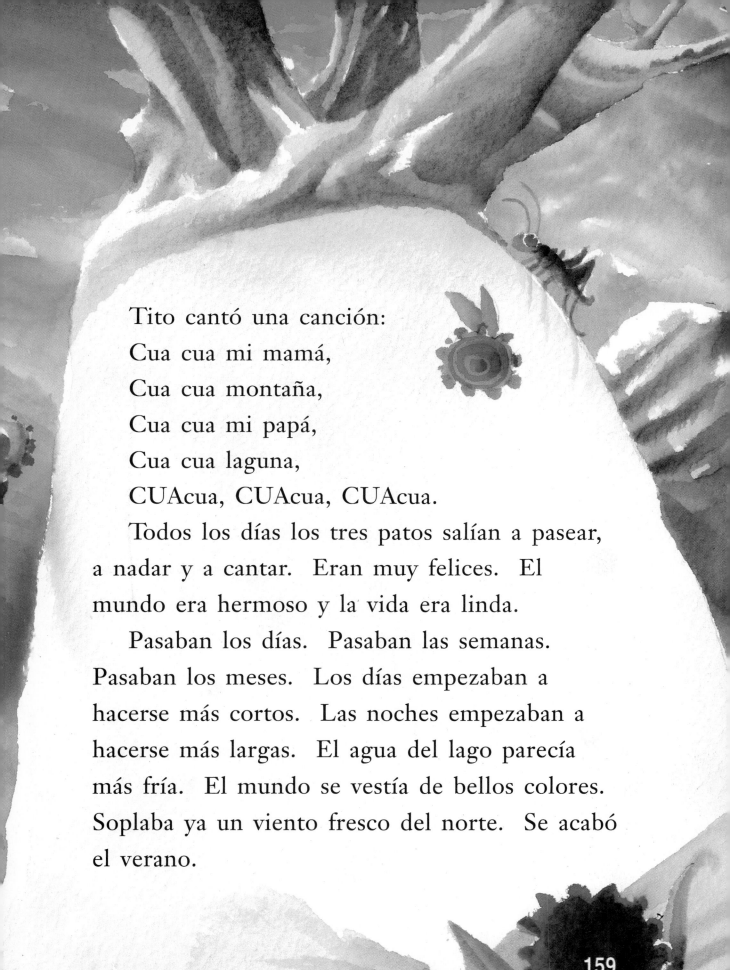

Tito cantó una canción:

Cua cua mi mamá,

Cua cua montaña,

Cua cua mi papá,

Cua cua laguna,

CUAcua, CUAcua, CUAcua.

Todos los días los tres patos salían a pasear, a nadar y a cantar. Eran muy felices. El mundo era hermoso y la vida era linda.

Pasaban los días. Pasaban las semanas. Pasaban los meses. Los días empezaban a hacerse más cortos. Las noches empezaban a hacerse más largas. El agua del lago parecía más fría. El mundo se vestía de bellos colores. Soplaba ya un viento fresco del norte. Se acabó el verano.

Tito había crecido. Ya era un joven. Podía hacer todo lo que hacen los patos grandes. Volaba como un ángel. Nadaba como un pez. Andaba como un pato.

Ya hacía algunos días que Tito sorprendía a sus papás hablando misteriosamente. Cuando él se acercaba, se callaban. ¿Qué pasaría? Nunca habían hecho esto antes. Tito estaba preocupado.

Un ruido de alas despertó a Tito una mañana. Abrió los ojos para ver a su papá volando como una flecha hacia el azul. Miró a su mamá. Estaba llorando. Miró al cielo. Su papá era sólo un punto en el azul. El punto desapareció.

Tito sintió un fuerte dolor en el corazón. Lo primero que pensó fue, "Mi papá ya no nos quiere. Mi papá nos ha dejado".

—Mamá, ¿a dónde va mi papá?

—Al sur, hijito.

—¿A qué?

—A buscarnos una casa para el invierno.

—¿Por qué no nos quedamos aquí?

—Aquí hace mucho frío. En el sur hace calor.

—¿Por qué no nos llevó?

—Porque todavía no ha llegado el momento. No te preocupes, mi hijito, pronto volverá tu papaíto. Luego, los tres volaremos juntos a nuestra nueva casa.

Tito se quedó pensativo, triste. Pero luego pensó en la gran aventura que le esperaba. ¡Miles y miles de millas! Volaría sobre montañas. Sobre valles. Sobre ríos. Sobre desiertos. Tito casi no podía esperar. Tenía el corazón lleno de ilusión.

Pronto volvió Papá Pato. Llegó muy cansado. Había volado noche y día. Se le veía en la cara que venía muy contento. El papá, la mamá y el hijo se abrazaron y casi lloraron de alegría. Hablaron sin cesar. Un *cua* aquí, un *cua* allá, *cua* aquí, *cua* allá, *cua, cua, cua.*

Empezaron las preparaciones para el vuelo. Todos estaban animados. Todos los patos papás tuvieron una junta. Votaron. Decidieron el día del vuelo y la ruta que seguirían.

La mañana del vuelo el mundo estaba lleno de sol y cielo azul. El viento soplaba hacia el sur. El hielo y la nieve vendrían pronto. Era hora de partir.

Las bandadas de patos se levantan. Miles y miles de patos agitan las alas, miles y miles de alas. Parece que el aire tiembla. Se llena el cielo de patos. Parece que el cielo se mueve.

Los patos van en formación. Forman diseños hermosos en el cielo. Las formas parecen grandes puntas de flecha. Todas las flechas forman una sola inmensa flecha. Una flecha que corta el cielo y se mueve rápidamente hacia el sur.

En una de esas flechas veloces va Tito. Tito con su familia. Tito con sus amigos y vecinos.

Allá adelante le espera una nueva casa. Le espera un nuevo mundo hermoso y una nueva vida linda. Tito es el pato más feliz del mundo.

¡QUE TE VAYA BIEN, TITO!

Si Tito fuera de tu pueblo, ¿qué regalo de despedida le harías? Haz una lista de cosas que le darías para que se acuerde de tu pueblo.

CONOCE AL AUTOR

Sabine R. Ulibarrí nació en Tierra Amarilla, Nuevo México. Dice que le encanta pescar en los arroyos de las montañas, montar a caballo y hacer crucigramas. Su esposa e hijo son bilingües como él. A Sabine le gusta mucho enseñar el español y escribir cuentos en español y en inglés para niños como tú.

CONOCE AL ARTISTA

Juan Carlos Nicholls nació en Cali, Colombia. Le encanta hacer caricaturas y tiras cómicas. A todos los niños les manda un saludo de colores.

Poemas de Ernesto Galarza

Ernesto Galarza nació en un pueblito en México. A los seis años, su familia se mudó a California. Allí ayudó a muchos campesinos mexicanos a mejorar su vida en los Estados Unidos.

Más tarde se hizo maestro. Escribió libros para enseñar y entretener a niños como tú. También escribió estos poemas para ti.

Vete, lluvia, vete

Llueve, llueve, llueve
toda la mañana.
Gota, gota, gota
en mi ventana.
Vete, vete, vete
déjame salir.
Vete, lluvia, vete
hasta el mes de abril.

A la luz colorada

A la luz colorada
alto y parada.
Anaranjado
mucho cuidado.
A la luz verde
nadie se pierde.
Las luces son tres.
Cuéntalas otra vez.

Todas las tardes

Todas las tardes parece que el sol
se mete en la casa de enfrente.
Unas tardes poquito a poco,
y otras muy de repente.
Dime, Sol, si algún día te vas a meter
en la mía.
Dime, Sol, si algún día te vas a meter
en la mía.

TACHO
EL BEBÉ TACUACHE

ESCRITO POR CARMEN TAFOLLA
ILUSTRADO POR DANIEL MARTÍNEZ

Había una vez un bebé tacuache que se llamaba
Tacho. Tacho había nacido al mismo tiempo
que sus veintitrés hermanos y todos vivían
dentro de la bolsa de su madre.

La mamá cuidaba a sus tacuachitos muy
bien. Les daba de comer, les cantaba y los
llevaba a pasear. Un día la mamá de Tacho
le dio un creyón y una hoja de papel y le
enseñó a dibujar.

¡A Tacho le encantó dibujar! ¡Y lo que más le encantó fue dibujar en grande! Dibujó casas grandes y arbolotes y flores enormes y pájaros gigantescos. Dibujó manzanas y sillas y botellas y frijoles (frijoles grandes, por supuesto). Dibujó y dibujó hasta cansarse. Y entonces su mamá le dijo: —Ya es hora de tomar una siesta —y lo metió otra vez en su bolsa. Mientras dormía, Tacho tuvo un sueño maravilloso. Soñó que dibujaba, ¡todo lo que veía!

Tacho se despertó tan contento que quería salirse de la bolsa, conseguir otra hoja de papel y dibujar más cosas grandes y maravillosas. Pero sus veintitrés hermanos todavía dormían. Y como no quería despertarlos, se sentó quietecito a mirar sus dibujos.

Esperó y esperó, pero sus hermanos seguían durmiendo. Entonces se le ocurrió una idea. Miró la pared interior de la bolsa de su mamá y pensó, "¡Voy a darle una sorpresa a Mamá! ¡Voy a dibujar un hermoso árbol de mesquite en la pared de la bolsa!" Y calladito se puso a dibujar un mesquite bien grande.

La pared de la bolsa empezó a temblar,
Mamá empezó a temblar y Tacho y todos sus
hermanitos también empezaron a temblar.
Algunos de sus hermanitos lloraron de susto y
otros se enojaron porque los habían despertado.

Mamá dijo: —¿Qué pasa? ¿Por qué están llorando? —Y entonces miró en la bolsa y vio—. ¡Ay, Dios mío! ¡Hay un mesquite adentro! ¿Cómo se metió en mi bolsa? ¡Con razón me temblaba el estómago!

Tacho gritó: —¡No, Mamá, no es un mesquite verdadero! ¡Es mi dibujo!

—¡Ay, Tacho! —dijo Mamá Tacuache—.
Tienes que aprender. ¡No dibujes en las
paredes! Dibuja en papel o en lona, pero por
favor, ¡no dibujes en las paredes! Pero a Tacho
aun así, le encantaba dibujar. ¡Y le encantaba
dibujar en grande!

Un día Tacho entró a la escuela. Allí había
muchas cosas interesantes —libros y escritorios
y pizarrones— y una gran pared blanca. El
maestro les pidió a los tacuachitos que dibujaran
un ratón y un elefante en sus hojas de papel.

Tacho dibujó un enorme y hermoso ratón. ¡Jamás se ha visto ratón tan saludable! Pero entonces a Tacho no le quedó espacio en el papel para dibujar el elefante. ¿Qué podía hacer? Tacho vio la gran pared blanca y nomás la llenó con el más hermoso elefante de tamaño natural jamás visto. ¡Era una elefantota!

De repente, toda la clase corrió a acariciar la elefanta, a tratar de subírsele encima y a tirarle cacahuates. ¡La clase parecía un zoológico! El maestro se enfureció y dijo: —¡Ay, Tacho! Tienes que aprender. ¡No dibujes en las paredes! Dibuja en papel o en lona, pero por favor, ¡no dibujes en las paredes!

Tacho pensó que había oído esto antes y dio
un suspiro grande y triste. Le encantaba
dibujar. ¡Y le encantaba dibujar en grande!

Todos los días, camino a la escuela, Tacho soñaba con hacer hermosos dibujos enormes que se vieran a más de una milla. Y todos los días, camino a la escuela, pasaba frente a una enorme pared azul. Era una ENORME pared azul. A Tacho le parecía como un gran cielo azul en un día de sol. "Le faltan unas cuantas cosas", pensó. "Unas grandes nubes blancas y un gran sol. Y un árbol que casi llegue hasta al cielo y pajaritos. Y un papalote volando alto y tirado por una niña corriendo en el parque. Y un vendedor de raspa..."

¡Ay, podría ser un cielo hermoso y grande!
Pero Tacho recordó que le habían dicho una
vez, o dos, o tal vez tres, "¡No dibujes en las
paredes!" Y claro, no lo hizo. Pero todos los
días miraba la gran pared azul.

Un día, pasando por allí, Tacho oyó que
alguien decía: —¡Ay, esta pared se ve tan vacía!

Era la señora Sonrisa, que siempre sonreía.
Y además, era la dueña de la tienda con la
pared azul. Hoy no estaba sonriente. Tacho
preguntó:

—Señora Sonrisa, ¿por qué está tan triste?

—Ay, Tacho, todas las mañanas cuando vengo a la tienda, lo único que veo es esta gran pared azul, y se ve tan... tan...

—¿Vacía? —preguntó Tacho. Y entonces Tacho y la señora Sonrisa platicaron y platicaron...

Al día siguiente, cuando la gente iba al trabajo y los tacuachitos iban camino a la escuela, ¡todos se detuvieron!...

...Y vieron el más hermoso y enorme cielo azul con unas grandes nubes blancas y un gran sol resplandeciente. Y un árbol que casi llegaba hasta el cielo y pajaritos. Y un papalote

volando alto y tirado por una niña corriendo
en el parque. Y vendedores de raspa y
muchísimas otras cosas hermosas y grandes.

Tacho, el bebé tacuache, creció y entonces le
dijeron el señor Tacuache. Después
comenzaron a decirle el señor TACUACHOTE,
y por fin, con respeto, DON TACHO.

Todavía le encanta dibujar y le encanta
dibujar en grande. Pero ahora la gente le paga
para que haga lindos murales en las paredes que
puedan verse a más de una milla.

Y a veces los reporteros le preguntan:
—Señor don Tacho, ¿podría decirnos cómo
llegó a ser un artista tan maravilloso y famoso?

Y don Tacho contesta, con una voz que
le sale por entre sus bigotes canosos:

—¡Porque aprendí a nunca dibujar en las
paredes! —Y luego, con un guiño travieso
dice—: Sin antes pedir permiso, por supuesto.

Sin embargo, la última vez que vimos a don
Tacho, estaba mirando fijamente una
ENORMISÍSIMA pared vacía en el Gran
Cañón.

¡DON TACHO!
EL MAESTRO DEL MURAL
PRESENTÁNDOSE PRONTO

¡VIENE EL SEÑOR DON TACHO!

Suponte que el señor don Tacho, el famoso muralista, viene a tu pueblo a pintar un mural. Forma un grupo con tus amigos para discutir qué le van a pedir que pinte. Pónganse de acuerdo y después cada uno debe escribir una descripción del mural.

CONOCE A LA AUTORA

Carmen Tafolla creció en San Antonio, Texas, pero ahora vive en McAllen, Texas, con su esposo, que tiene una risa grande y deliciosa y con su hija Mari, de ocho años. A Mari le encanta el baile folklórico y el básquetbol. Dice Carmen que no olvidemos a sus dos gatos, Dulce y Cariño, que también viven con ella.

CONOCE AL ARTISTA

aniel Martínez es de Santa Fe, Nuevo
México. Le encanta dibujar niños y
animales. Su sobrina Jessica y sus loras,
Lumbre y Azul, le sirven de modelos para sus
pinturas.

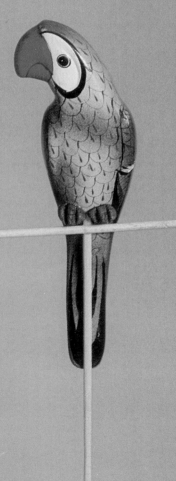

MÁS CUENTOS
PARA TI

El coyotito y la viejita
por Carmen Tafolla
   Una viejita tiene mucho que
aprender de un coyotito inteligente.

Julieta y su caja de colores
por Carlos Pellicer López
   Un día de lluvia, Julieta se aburre.
Pero en su caja de colores, descubre
un mundo mágico.

Luisa y el arco iris

por Sara Gerson

   Después del viaje de Luisa
a Descolorilandia, su pueblo
cambia para siempre.

Yo soy el durazno

por Luisa de Noriega

   En este libro el durazno
te cuenta su vida de semilla a fruta.

La calle

por Guillermo Solano Flores

   La calle tiene su propia vida.
Explora los secretos
de esta calle.

Una carta a México

¡Hola! Soy Anita. Le quiero mandar una carta a mi primo Pablo. Yo vivo en los Estados Unidos, pero Pablo vive en México. Una carta mía tarda casi una semana en llegarle a Pablo.

México es el país que está justo al sur de los Estados Unidos. ¿Qué sabes de México?

Piénsalo

¿Cómo es México?

Palabras clave

México
correo

¿Adónde va la carta de Anita?

CANADÁ

ESTADOS UNIDOS

• Denver, Colorado

OCÉANO
ATLÁNTICO

OCÉANO
PACÍFICO

MÉXICO

Ciudad
de México

N
O — E
S

198

Mi mamá trabaja en el **correo.** Ella me dijo adónde va a viajar mi carta.

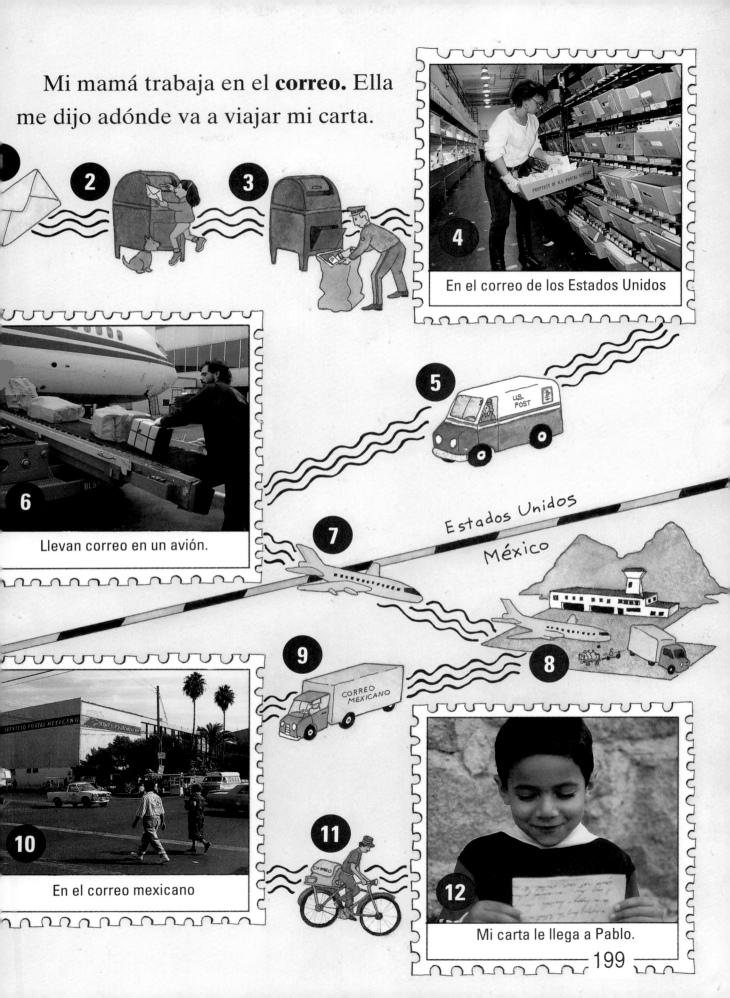

En el correo de los Estados Unidos

Llevan correo en un avión.

Estados Unidos

México

En el correo mexicano

Mi carta le llega a Pablo.

¡Pablo me mandó algo de vuelta! ¡No era una carta, sino un paquete! ¡Mira lo que me mandó Pablo!

El cumpleaños de Spot

¡FANTASTICO!

EL BANCO DE MEXICO S.A.
CINCUENTA PESOS
50

Algunas cosas son distintas donde vive Pablo. La bandera de México es verde, blanca y roja. El dinero también es distinto.

Ese juego parece divertido. Pablo tiene una linda familia, igual que yo. Creo que Pablo y yo somos distintos, pero también nos parecemos.

Repaso

1. ¿Cómo es México?
2. ¿Dónde está México?
3. ¿Cómo llegan las cartas de un lugar a otro?
4. ¿Qué le puedes mandar a alguien de México?

A

agarrar

Agarrar es coger algo con la mano: Con sus brazos largos el mono puede **agarrar** frutas de las ramas más altas.

agitas

Cuando **agitas** un cartón de jugo de naranja, lo mueves rápidamente de arriba a abajo. Lo **agitas** para mezclarlo bien.

aguacero Un **aguacero** es una lluvia muy fuerte que cae de pronto: Trae tu paraguas, que va a caer un gran **aguacero**.

ambos **Ambos** quiere decir los dos: Makato tiene sueño. Antonio tiene sueño también. **Ambos** niños tienen sueño.

B

bate

Un **bate** es un palo que se usa para pegarle a la pelota en béisbol: Juan quiere un **bate** como el de Roberto Clemente.

bulto

Me asusté al ver un **bulto** bajo la sábana. Pero descubrí que sólo era mi almohada.

C

cacahuates

Los **cacahuates** son maní: A la elefantota le gusta comer **cacahuates**.

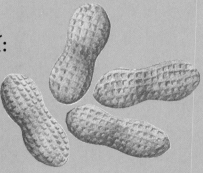

calladito   Hacer cosas **calladito** es hacerlas sin hablar o sin hacer ruido: Mientras dormía mi abuelita, jugué **calladito** para no despertarla.

casona   Una casa grande se llama una **casona**: La vieja **casona** tenía muchos cuartos.

celebrar   Para **celebrar** algo importante puedes hacer una fiesta. ¡Vamos a **celebrar** el cumpleaños de mi conejita con una torta de zanahorias!

compartían   Dominga y Ana siempre **compartían** sus juguetes. Dominga jugaba con la muñeca de Ana, y Ana jugaba con el trompo de Dominga.

conversación   Una **conversación** es una plática entre dos o más personas: Rosa y yo tuvimos una **conversación** larga. Hablamos y hablamos por horas.

coquí   Un **coquí** es una ranita chiquita de Puerto Rico. La ranita parece decir "**coquí, coquí**". Por eso se le llama **coquí**.

desierto   Un lugar con poca agua, mucha arena y pocas plantas se llama un **desierto**: En el **desierto** hay muchos cactos.

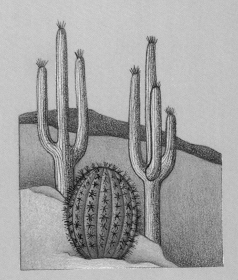

equipo   Un **equipo** es un grupo de gente que se junta para hacer algo especial: Mi hermana es miembro de un **equipo** de fútbol.

esconder   **Esconder** algo es ponerlo en un lugar donde nadie lo vea: Tengo que **esconder** este regalo para que José no lo encuentre antes de la Navidad.

escondite   Un lugar donde se esconde algo para que no se vea es un **escondite**. **Escondite** también es un juego en que unos niños se esconden y otros los buscan.

F

fiel   Este perro es tan **fiel** que todas las mañanas le trae el periódico a Abuelito. Un amigo **fiel** siempre es amigo, pase lo que pase.

frijoles   Para hacer **frijoles** negros hay que cocinarlos en agua.

gozosa   Cuando una persona se siente **gozosa**, se siente muy feliz: Cuando gané la carrera me sentí **gozosa**.

gruñía   **Gruñía** quiere decir que daba gruñidos o hacía ruidos roncos entre dientes: Cada vez que el gigante **gruñía**, sabíamos que estaba de mal humor.

guagüita   Una **guagüita** es un camión o un autobús: Para ir a San Juan debes tomar la **guagüita** número 32.

guante   Un **guante** de béisbol
está hecho de cuero y
cubre la mano. El **guante**
se usa para coger la pelota.

habitación   **Habitación** es otra manera
de decir cuarto: Sara está
descansando en la cama en
su **habitación**.

hoja   Con este creyón voy
a dibujar un sapito en
una **hoja** de papel.

L

laguna

Una **laguna** es un lago pequeño:
Había un barco chiquito
en la **laguna**.

lío

Si tienes un problemita, puedes decir que
estás en un **lío**: Estoy en un **lío** porque
no encuentro el libro que necesito para
la escuela.

lona

Los artistas pintan
cuadros sobre una
tela que se llama **lona**:
La artista pintó unas
montañas en una
lona blanca.

mesquite   El **mesquite** es un tipo de árbol chico que crece en el Suroeste de los Estados Unidos.

murales   Los **murales** son grandes pinturas en las paredes: Me gustan los **murales** que pintaron en las paredes de mi barrio.

nadar **Nadar** es moverse en el agua con los brazos y las piernas: A Josefina le gusta **nadar** en una piscina. A mí me gusta **nadar** en un lago.

O

oído Con el **oído** puedes escuchar sonidos. Con mi **oído** puedo oír el timbre que suena a la hora del almuerzo.

olfato Cuando hueles algo sabroso, estás usando el sentido del **olfato**. Mi **olfato** me dice que Papá está haciendo pescado asado.

pegas En béisbol, cuando te tiran la pelota, tú le **pegas** con el bate. Tú siempre le **pegas** duro a la pelota.

pensativa Una persona está **pensativa** cuando se queda pensando. Lupita está **pensativa** porque quiere ayudar a su abuelita y no sabe cómo hacerlo.

pétalos Las hojitas suaves que son parte de la flor se llaman **pétalos**. A una de estas margaritas sólo le quedan dos **pétalos**.

pizarrones   **Pizarrones** son tablas especiales que se usan en las paredes para escribir: La maestra escribió nuestros nombres en los **pizarrones** verdes que cubren dos paredes del salón.

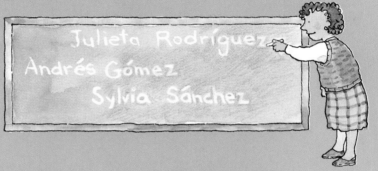

Q

quietecito   Cada vez que mi papá me lee un cuento, me quedo **quietecito**. No digo nada y no me muevo hasta que termina el cuento.

R

raspa   La **raspa** se hace con hielo picado y jugo de fruta. Cuando hace mucho calor, me gusta comer una **raspa** de fresa.

ruta   Una **ruta** es el camino que se toma para llegar a un lugar: La **ruta** más corta para ir a la playa es por la calle Cinco de Mayo.

S

saborear   **Saborear** es gustar el sabor de la comida: Me gusta **saborear** las naranjas porque son muy dulces.

saludable Cuidarse y comer bien es **saludable**: Es muy **saludable** comer muchas frutas y vegetales.

susto ¡Qué **susto** me dio mi hermano cuando se disfrazó con esa máscara de monstruo! Cuando vi que era él, ya no tuve miedo.

tacto Con el **tacto** puedes saber si algo es suave como la piel de un gato o duro como la madera.

tacuache   El **tacuache** es un
animal muy común
en el Suroeste de los
Estados Unidos.

tiembla   **Tiembla** quiere decir que
se mueve rápidamente sin
querer. A veces cuando
María tiene frío ella **tiembla**.

tontería   Se dice que algo tonto es una **tontería**:
¡Qué **tontería**! ¿Quién ha visto a una
jirafa volar como un pájaro?

V

valiente   Si una persona es **valiente,** no siente miedo. Juana es tan **valiente** que no les tiene miedo a los leones del circo.

veloces   **Veloces** quiere decir rápidos: Las aves **veloces** volaban por el cielo.

vuelo   Todos los inviernos, los gansos hacen un **vuelo** hacia el sur. Hice un **vuelo** en avión a Argentina para visitar a mis primos.

Acknowledgments

For each of the selections listed below, grateful acknowledgment is made for permission to excerpt and/or reprint original or copyrighted material, as follows:

Major Selections

"A la luz colorada" by Ernesto Galarza. Copyright © 1971 by Ernesto Galarza. Reprinted by permission of Mae Galarza.

"Bultos misteriosos," originally published as "Strange Bumps" from *Owl at Home*, written and illustrated by Arnold Lobel. Copyright © 1975 by Arnold Lobel. Reprinted by permission of HarperCollins Publishers.

"Carmencita y su coquí" by Ramón Cruz González, from *Lecturas para los niños de mi tierra* by Mercedes Sáenz, San Juan, Puerto Rico: I.C.P., 1980, p. 95-96. Reprinted by permission of the Instituto de Cultura Puertorriqueña.

Cleto monstruo, originally published as *Clyde Monster* by Robert L. Crowe. Copyright © 1976 by Robert L. Crowe. Reprinted by permission of Dutton Children's Books, a division of Penguin Books USA.

"Comelones" by Lara Ríos, originally published in *Algodón de azúcar*, Editorial Costa Rica, 1976. Copyright © 1987 by Ediciones Farben, S.A. Reprinted by permission of Ediciones Farben.

"Cómo el perro y el hombre se hicieron amigos," from *El lobo y el zorro y otros cuentos de animales* by Cecilia Beuchat and Mabel Condemarín. Copyright © 1987 by Cecilia Beuchat and Mabel Condemarín. Reprinted by permission of Editorial Andrés Bello.

"Cultivo una rosa blanca" by José Martí, from *Mi libro de segundo*. Copyright © 1981 by SEP (Secretaría de Educación Pública). Reprinted by permission of SEP, México.

"El diente de la buena Mari" by Alberto Barrera. Reprinted by permission of the author.

Había una vez una casa by Graciela Montes, illustrated by Óscar Rojas. Copyright © 1990 by Coquena Grupo Editor SRL. Reprinted by permission of Coquena Grupo Editor SRL.

"Mi amiga la sombra," from *A la sombra de un ala* by Alma Flor Ada. Copyright © 1988 by Alma Flor Ada. Reprinted by permission of Editorial Escuela Española, S.A.

Mis cinco sentidos, originally published as *My Five Senses*, written and illustrated by Aliki. Copyright © 1962 by Aliki Brandenberg. Reprinted by permission of HarperCollins Publishers.

"El monstruo blanco," originally published as "The White Monster" by Teresa Trubilla from *Green Is Like a Meadow of Grass*, edited by Nancy Larrick. Copyright © 1968 by Nancy Larrick. Reprinted by permission of Joan Daves Agency.

"El patito Tito," from *Pupurupú* by Sabine R. Ulibarrí. Copyright © 1987 by Sabine R. Ulibarrí and Sainz Luiselli Editores. Reprinted by permission of the author.

"Quiero, quiero un amiguito" by Graciela M. Peña. Reprinted by permission of the author.

"El sapito" by Alberto Barrera. Reprinted by permission of the author.

Tacho, el bebé tacuache by Carmen Tafolla. Reprinted by permission of the author.

"Todas las tardes" by Ernesto Galarza. Copyright © 1971 by Ernesto Galarza. Reprinted by permission of Mae Galarza.

"Tres espantos," a traditional poem appearing in Spanish in the *Kindergarten Bilingual Resource Handbook*, developed by Lubbock (Texas) Public Schools Bilingual Education Program, published by the Dissemination and Assessment Center for Bilingual Education. Revised 1972.

"Una carta a México," from *Conozco un lugar*, Houghton Mifflin Social Studies. Copyright © 1992 by Houghton Mifflin Co. Reprinted by permission of Houghton Mifflin Co.

"Vete, lluvia, vete" by Ernesto Galarza. Copyright © 1971 by Ernesto Galarza. Reprinted by permission of Mae Galarza.

"Voy a hacer un puente" by Graciela M. Peña. Reprinted by permission of the author.

Houghton Mifflin Co. gratefully acknowledges the resources of the Boston Public Library's Alice M. Jordan Collection and the assistance of its staff.

Credits

Cover Design DeFrancis Studio

Design 10–65 Maria Perez; 66–93, 106–127 Ann Potter; 94–105 Carbone Smolan Associates; 128–131, 150–197 Daniel Martínez; 132–149 Waters Design Associates

Introduction (left to right) 1st row: Aliki, Melanie Eve Barocas, Claudia de Teresa; 2nd row: Monique Passicot, Renée Williams, Melanie Eve Barocas; 3rd row: Raúl Fortín, Melanie Eve Barocas, Daniel Martínez; 4th row: Nancy Sheehan, Aliki, R. W. Alley

Table of Contents 4 Renée Williams; 6 Raúl Fortín; 8 Denise & Fernando

Illustration 13 (top right) Renée Williams; (left) Claudia de Teresa; (bottom right) Melodye Rosales; 14–23 Renée Williams; 26–27 R.W. Alley; 28–29 Margaret Sanfilippo; 30–39 Claudia de Teresa; 42 Claudia de Teresa; 43 Sharon Elzaurdia; 44–59 Melodye Rosales; 62–63 Monique Passicot; 66–69 Raúl Fortín; 70–91 Óscar Rojas; 92 Pei Ling Hwang; 94–105 Arnold Lobel; 108–109 Dorothy Donohue; 110–121 Roger Paré; 122 Raúl Fortín; 124–125 Laura Cornell; 126–127 Raúl Fortín; 131 (left)

Juan Carlos Nicholls; (middle) Daniel Martínez; (right) Aliki; **132–149** Aliki; **152–153** Guadeloupe de la Torre-Montano; **154–165** Juan Carlos Nicholls; **169** Wayne Anthony Still; **170–171** Alicia Thayer; **172–193** Daniel Martínez; **198** JAK Graphics; **199** Penny Carter; **202** Andrea Z. Tachiera; **203** (top) Julie Durrell; Dorothy Donohue; **204** Laurence J. Orner; **205** Andrea Z. Tachiera; **206** Jackie Geyer; **207** Laurence J. Orner; **208** (top) Julie Durrell; Jackie Geyer; **209** Laurence J. Orner; **210** (top) Laurence J. Orner; Julie Durrell; **211** (top) Dorothy Donohue; Julie Durrell; **212** (top) Jackie Geyer; Julie Durrell; **213** Julie Durrell; **214** Jackie Geyer; **215–217** Julie Durrell; **218** (top) Andrea Z. Tachiera; Julie Durrell; **219** (top) Julie Durrell; Andrea Z. Tachiera

Photography **10-11** Kathy Tarantola/The Picture Cube; **12** Bob Daemmrich; **25** Photo by Louis Green, courtesy of Julio Varela (top); **25** Photo by Philemon Sturges (bottom); **42** Courtesy of Claudia de Teresa (bottom); **42** Courtesy of Editorial Universitaria, S.A. (top); **42** Courtesy of Editorial Universitaria, S.A. (center); **61** Courtesy of Ramón Cruz González (top); **61** Courtesy of Melodye Rosales (bottom); **64-65** Alan & Sandy Carey; **93** Courtesy of Libros del Quirquincho; **107** Adam Lobel; **123** Courtesy of Robert L. Crowe (top); **123** Courtesy of Roger Paré (bottom); **128** Courtesy of Carmen Tafolla (center insert); **128** Courtesy of Sabine R. Ulibarrí; **128** Ian Bradshaw (top inset); **130** Photo by Robert Neitsch, courtesy of Mae Galarza (top inset); **130** Courtesy of Alberto Barrera (bottom inset); **148** Alexa Brandenberg; **149** Courtesy of Aliki Brandenberg (top); **150** Courtesy of Alberto Barrera (inset); **166** Jack Newsom (inset); **167** Courtesy of Juan Carlos Nicholls (inset); **168** Mae Galarza (top inset); **168** John Running/Stock Boston (bottom left); **168** Photo by Robert Neitsch, Courtesy of Mae Galarza (bottom right); **194** Courtesy of Carmen Tafolla (inset); **195** Linda Montoya (inset); **198** Stephen Kennedy (top right); **199** John Chiasson/Gamma-Liaison (top right); **199** Mike Phillips (center); **199** Steve Smith (bottom left); **199** Mike Jaeggi (bottom right); **200** Stephen Kennedy (top left); **200-201** Stephen Kennedy; **200** Werner Krutein/Jeroboam, Inc. (center); **Assignment Photographers** Eduardo Fuss **150, 166, 167, 168, 194, 195.** Linda Montoya **128–129, 130–131, 196–197.** Laurence Migdale **106.** Charles Seesselberg **24–25, 40–41, 60–61.**